U0323697

# 中华人民共和国国家标准

# 钢铁企业能源计量和监测工程技术规范

Technical code for energy measuring and monitoring engineering in the iron and steel enterprises

**GB/T 51050 - 2014**

主编部门：中　国　冶　金　建　设　协　会
批准部门：中华人民共和国住房和城乡建设部
施行日期：2　0　1　5　年　8　月　1　日

中国计划出版社

**2014　北　京**

中华人民共和国国家标准

**钢铁企业能源计量和监测工程**

**技 术 规 范**

GB/T 51050-2014

☆

中国计划出版社出版

网址：www.jhpress.com

地址：北京市西城区木樨地北里甲11号国宏大厦C座3层

邮政编码：100038　电话：(010) 63906433（发行部）

新华书店北京发行所发行

三河富华印刷包装有限公司印刷

---

850mm×1168mm　1/32　1.75印张　39千字

2015年5月第1版　2015年5月第1次印刷

☆

统一书号：1580242·629

定价：12.00元

# 中华人民共和国住房和城乡建设部公告

## 第647号

## 住房城乡建设部关于发布国家标准《钢铁企业能源计量和监测工程技术规范》的公告

现批准《钢铁企业能源计量和监测工程技术规范》为国家标准,编号为GB/T 51050—2014,自2015年8月1日起实施。

本规范由我部标准定额研究所组织中国计划出版社出版发行。

**中华人民共和国住房和城乡建设部**

**2014年12月2日**

# 前　言

本规范是根据住房城乡建设部《关于印发〈2011年工程建设标准规范制订、修订计划〉的通知》(建标〔2011〕17号)的要求，由中冶京诚工程技术有限公司和北京京诚鼎宇管理系统有限公司会同有关单位共同编制完成。

本规范在编制过程中，编制组经广泛调查研究，认真总结实践经验，参考有关国内外先进标准，并在广泛征求意见的基础上，最后经审查定稿。

本规范共分6章，主要技术内容包括：总则、术语、基本规定、能源计量、能源监测、能源监控。

本规范由住房城乡建设部负责管理，由中冶京诚工程技术有限公司负责具体技术内容的解释。在本规范执行过程中，请各单位注意总结经验，积累资料，并将有关意见及时反馈给中冶京诚工程技术有限公司(地址：北京经济技术开发区建安街7号，邮政编码：100176)，以供今后修订时参考。

本规范主编单位、参编单位、参加单位、主要起草人和主要审查人：

**主编单位：**中冶京诚工程技术有限公司
北京京诚鼎宇管理系统有限公司

**参编单位：**中冶南方工程技术有限公司
中冶赛迪工程技术股份有限公司
中冶焦耐工程技术有限公司
中冶长天国际工程有限责任公司
宝山钢铁股份有限公司
上海宝信软件股份有限公司

南京钢铁股份有限公司

天津天铁冶金集团有限公司

国家钢铁生产能效优化工程技术研究中心

**参 加 单 位:** 济钢集团有限公司

**主要起草人:** 谭雪峰　盘学军　毛汉平　王　勇　顾佳晨

高增先　王乐之　姚家平　李　峥　兰　霄

马广泉　邹庆和　刘贵峰　董书云　梁　荣

薛颖建　于军林　陈来军　李　胜

**主要审查人:** 郭启蛟　黄伏根　何卫新　张　彤　任少明

乔金华　王成耀　黄自强　吴　涛　朱恩东

# 目　　次

# Contents

# 1 总　　则

**1.0.1** 为落实国家能源战略，规范钢铁企业能源计量和监测设施、设备的设计、安装，制定本规范。

**1.0.2** 本规范适用于钢铁企业新建、改建项目的能源计量和监测设施、设备的设计、安装。

**1.0.3** 钢铁企业能源计量和监测设施、设备的设计、安装除应符合本规范外，尚应符合国家现行有关标准的规定。

# 2 术　语

**2.0.1** 钢铁行业用能单位　organization of energy using in the iron and steel industry

钢铁行业中具有独立结算能力的单位(简称用能单位)。

**2.0.2** 钢铁行业次级用能单位　sub-organization of energy using in the iron and steel industry

用能单位直属的能源核算单位,指生产厂,工程、维检、生产服务单位等(简称次级用能单位)。

**2.0.3** 钢铁行业基本用能单元　cell of energy using in the iron and steel industry

次级用能单位下属的基本生产单位,指生产工序、工段、站、工程队等(简称基本用能单元)。

**2.0.4** 能源发生单元　energy generating unit

产生能源的设施。

**2.0.5** 能源存储单元　energy storage unit

存储能源的设施。

**2.0.6** 能源输配单元　energy transmission and distribution unit

对能源进行转换、输送的设施。

**2.0.7** 能源管理中心　energy management center

指企业能源生产、运行、管理的中心,以信息技术为依托,在能源生产、输配、消耗环节实施集中化、全局化管理的机构(简称管理中心)。

**2.0.8** 能源管理系统　energy management system

是对钢铁企业能源生产、输配和消耗环节实施动态监控和管理,改进和优化能源平衡,提高企业能源利用效率的信息化系统。

**2.0.9** 耗能工质 energy-consumed medium

在生产过程中所消耗的非热性属性能源介质，此类介质是由能源经过一次或多次转换而成，不作原料使用，也不进入产品，但制取时需要消耗能源。

# 3 基本规定

**3.0.1** 钢铁企业新建、改建工程应设置能源计量和能源监测设施。

**3.0.2** 钢铁企业能源计量和监测设施应满足用能单位、次级用能单位、基本用能单元对能源分项结算、分项考核的要求。

**3.0.3** 计量和监测种类应包括钢铁企业中主体工序和公辅工序涉及的电力、固态能源、液态能源、气态能源、耗能工质。

**3.0.4** 计量和监测范围应包括下列内容：

**1** 用能单位、次级用能单位、基本用能单元的能源消耗量、能源质量、能源自产量及回收利用的余能资源；

**2** 能源发生单元的能源产出量、能源质量、关键设备状态；

**3** 能源存储单元、能源输配单元、放散设施的能源储存量、输入量、输出量、关键设备状态。

**3.0.5** 能源计量和能源监测设备应具有数据通信功能。监测设备应能实时、准确、可靠地从能源计量器具上采集数据，并应传输至能源管理系统。

**3.0.6** 次级用能单位和基本用能单元计量和监测时，宜设置独立的介质管道。

**3.0.7** 计量器具配备应符合现行国家标准《用能单位能源计量器具配备和管理通则》GB 17167 和《钢铁企业能源计量器具配备和管理要求》GB/T 21368 的有关规定。

**3.0.8** 钢铁企业能源计量和监测数据宜集中管理。能源计量和监测数据应保存 3 年以上。

**3.0.9** 计量器具可同时作为监测设备使用。

# 4 能源计量

## 4.1 电　　力

**4.1.1** 电力类别应包括外购电、自备电、余能电和电力消耗。

**4.1.2** 自备电厂和余热电站为能源发生单位，也应作为次级用能单位进行计量。

**4.1.3** 电力计量项目应符合下列规定：

**1** 外购电用能单位侧的电能应进行计量；

**2** 自备电并网联络线路出口侧的电能应进行计量；

**3** 余能电并网联络线路出口侧的电能应进行计量；

**4** 次级用能单位总降压站入、出口侧的电能应进行计量；

**5** 基本用能单元变电站（所）入、出口侧的电能应进行计量；

**6** 自备电厂和余热电站（厂）按次级用能单位对内部消耗的电能应进行计量。

**4.1.4** 电能计量器具配置应采用电能表。

**4.1.5** 电能表宜具有标准通信接口和数据上传功能，并应满足企业能源管理需求。

## 4.2 固态能源

**4.2.1** 煤炭计量项目应符合下列规定：

**1** 用能单位应计量进出场煤炭的重量，并应对水分、灰分、硫分等质量参数进行检验；

**2** 焦化、石灰、耐火、烧结、球团和炼铁等次级用能单位应计量进出厂煤炭的重量，并应对水分、灰分、硫分等质量参数进行检验；

**3** 焦炉、石灰窑、耐火材料窑炉、烧结机、球团窑炉和高炉等基本用能单元应计量进出单元煤炭的重量，并应对水分、灰分、硫分等质量参数进行检验。

4.2.2 焦炭计量项目应符合下列规定：

1 用能单位应计量进出场焦炭的重量，并应对水分、灰分等质量参数进行检验；

2 焦化、石灰、耐火、烧结、球团和炼铁等次级用能单位应计量进出厂焦炭的重量，并应对水分、灰分等质量参数进行检验；

3 焦炉、石灰窑、耐火材料窑炉、烧结机、球团窑炉和高炉等基本用能单元应计量进出单元焦炭的重量，并应对水分、灰分等质量参数进行检验。

4.2.3 固态能源计量器具应采用汽车衡、轨道衡、皮带秤。

4.2.4 质量参数宜采用取样分析法。

4.2.5 固态能源计量数据的计算及信号传输应符合下列要求：

1 汽车衡、轨道衡、皮带秤的二次仪表应具有串行通信接口或以太网接口；

2 质量参数可通过自动采集或人工录入的方式，通过网络传输到能源管理系统；

3 计量数据宜根据水分、灰分、硫分等质量参数进行修正。

## 4.3 液态能源

4.3.1 成品油的存储量应进行计量。

4.3.2 重油的存储量应进行计量。

4.3.3 液态能源计量器具宜配备流量表、温度计、压力表等。

## 4.4 气态能源

4.4.1 焦炉煤气计量项目应符合下列规定：

1 净化焦炉煤气出口总管应计量累积流量；

2 煤气混合装置中焦炉煤气应计量累积流量；

3 次级用能单位焦炉煤气应计量累积流量；

4 基本用能单元焦炉煤气应计量累积流量。

4.4.2 高炉煤气计量项目应符合下列规定：

1 净化高炉煤气出口总管应计量累积流量；

2 煤气混合装置中的高炉煤气应计量累积流量；

3 次级用能单位高炉煤气应计量累积流量；

4 基本用能单元高炉煤气应计量累积流量。

4.4.3 转炉煤气计量项目应符合下列规定：

1 净化转炉煤气应计量累积流量；

2 煤气混合装置中的转炉煤气应计量累积流量；

3 次级用能单位转炉煤气应计量累积流量；

4 基本用能单元转炉煤气应计量累积流量。

4.4.4 混合煤气计量项目应符合下列规定：

1 煤气混合装置出口总管宜计量累积流量；

2 次级用能单位混合煤气应计量累积流量；

3 基本用能单元混合煤气应计量累积流量。

4.4.5 蒸汽计量项目应符合下列规定：

1 蒸汽发生应计量累积流量；

2 进入蒸汽主管应计量并网累积流量；

3 次级用能单位蒸汽应计量累积流量；

4 基本用能单元蒸汽宜计量累积流量。

4.4.6 天然气计量项目应符合下列规定：

1 外购天然气主管应计量累积流量；

2 计量及监测次级用能单位天然气应计量累积流量；

3 基本用能单元天然气应计量累积流量。

4.4.7 液化气计量项目应符合下列规定：

1 外购液化气应计量重量或累积流量；

2 次级用能单位液化气应计量累积流量；

3 基本用能单元液化气应计量累积流量。

4.4.8 发生炉煤气计量项目应符合下列规定：

1 发生炉煤气出口总管应计量累积流量；

2 次级用能单位发生炉煤气应计量累积流量；

3 基本用能单元发生炉煤气应计量累积流量。

**4.4.9** 气态能源计量器具的配备应符合下列规定：

1 煤气流量计量器具宜采用差压式流量计；

2 天然气、液化气流量计量器具宜采用涡轮或差压式流量计；

3 蒸汽流量计量器具宜采用涡街或差压式流量计。

**4.4.10** 气态能源计量数据的计算及信号传输应符合下列要求：

1 煤气、天然气、液化气、蒸汽流量传感器，在采用差压式流量计、涡轮流量计、涡街流量计时应进行温度压力补正；

2 流量传感器输出的流量信号和与流量或能量计量相关的信号（温度、压力、密度、组分、热值等）可通过模拟或数字方式接入流量或能量计算设备，完成流量或能量的运算处理，上传至能源中心；

3 流量计算设备是具有流量或能量计算功能的流量积算仪、流量运算转换器、PLC、DCS以及能源中心的流量运算单元，其功能和流量或能量计算的数字模型应符合现行行业标准《流量积算仪检定规程》JJG 1003的有关规定。

## 4.5 耗能工质

**4.5.1** 氧气计量项目应符合下列规定：

1 氧气站氧气出口总管应计量累积流量；

2 次级用能单位氧气应计量累积流量；

3 基本用能单元氧气宜计量累积流量。

**4.5.2** 氮气计量项目应符合下列规定：

1 制氧站或制氮站氮气出口总管应计量累积流量；

2 次级用能单位氮气应计量累积流量；

3 基本用能单元氮气宜计量累积流量。

**4.5.3** 氩气计量项目应符合下列规定：

**1** 制氧站氩气出口总管应计量累积流量；

**2** 次级用能单位氩气应计量累积流量；

**3** 基本用能单元氩气宜计量累积流量。

**4.5.4** 氢气计量项目应符合下列规定：

**1** 制氢站出口总管应计量累积流量；

**2** 次级用能单位氢气应计量累积流量；

**3** 基本用能单元氢气宜计量累积流量。

**4.5.5** 压缩空气计量项目应符合下列规定：

**1** 空压站出口总管应计量累积流量；

**2** 次级用能单位压缩空气应计量累积流量；

**3** 基本用能单元压缩空气宜计量累积流量。

**4.5.6** 原水应计量原水取水站出口总管的累积流量。

**4.5.7** 工业用水计量项目应符合下列规定：

**1** 制水厂(站)出口总管应计量累积流量；

**2** 水处理厂(站)出口总管宜计量累积流量；

**3** 次级用能单位工业用水应计量累积流量；

**4** 基本用能单元工业用水宜计量累积流量。

**4.5.8** 生活用水计量项目应符合下列规定：

**1** 生活用水厂(站)出口总管应计量累积流量；

**2** 次级用能单位生活用水应计量累积流量；

**3** 基本用能单元生活用水宜计量累积流量。

**4.5.9** 耗能工质计量器具的配备应符合下列规定：

**1** 氧气、氮气、氩气、氢气、压缩空气的流量计量可采用差压式流量计、热式流量计、涡街流量计；

**2** 水流量的计量可采用差压式流量计、超声波流量计、电磁流量计。

**4.5.10** 耗能工质计量数据的计算及信号传输应符合下列要求：

**1** 氧气、氮气、氩气、氢气、压缩空气流量传感器，在采用差压式流量计、涡街流量计、旋进流量计时应进行温度压力补正；

**2** 流量传感器输出的流量信号和与流量计量相关的信号(温度、压力、密度、组分等)可通过模拟或数字方式接入流量计算设备，完成流量的运算处理，上传至能源中心；

**3** 流量计算设备是具有流量计算功能的流量积算仪、流量运算转换器、PLC、DCS 以及能源中心的流量运算单元，其功能和流量或能量计算的数字模型应符合现行行业标准《流量积算仪检定规程》JJG 1003 的有关规定。

# 5 能源监测

## 5.1 电　　力

**5.1.1** 电力的监测项目应符合下列规定：

**1** 外购电总降压站用能单位侧的电流、电压、电能、功率、功率因数及设备状态应进行监测；

**2** 自备电并网联络线路出口侧的电流、电压、电能、功率、功率因数及设备状态应进行监测；

**3** 余能电并网联络线路出口侧的电流、电压、电能、功率、功率因数及设备状态应进行监测；

**4** 次级用能单位降压站入、出口侧的电流、电压、电能、功率、功率因数及设备状态应进行监测；

**5** 基本用能单元变电站(所)入、出口侧的电流、电压、电能、功率、功率因数及设备状态应进行监测；

**6** 自备电厂和余热电站(厂)按次级用能单位对内部消耗的电能应进行监测；

**7** 设备状态应监测开关、线路闸刀、母线闸刀、接地闸刀、中性点闸刀、设备故障、设备报警。

**5.1.2** 电力的监测器具配置宜采用综合自动化保护系统或其他测控装置。

**5.1.3** 电力的监测宜采用就地或远程方式。

## 5.2 固态能源

**5.2.1** 煤炭监测项目应符合下列规定：

**1** 用能单位进出场煤炭的重量和水分、灰分、硫分等质量参数应进行监测；

**2** 焦化、石灰、耐火、烧结、炼铁等次级用能单位进出厂煤炭的重量和水分、灰分、硫分等质量参数应进行监测；

**3** 焦炉、石灰窑、耐火材料窑炉、烧结机、球团窑炉和高炉等基本用能单元煤炭进出的重量和水分、灰分、硫分等质量参数应进行监测。

**5.2.2** 焦炭监测项目应符合下列规定：

**1** 用能单位进出场焦炭的重量和水分、灰分等质量参数应进行监测；

**2** 焦化、石灰、耐火、烧结、炼铁等次级用能单位进出厂焦炭的重量和水分、灰分等质量参数应进行监测；

**3** 焦炉、石灰窑、耐火材料窑炉、烧结机、球团窑炉和高炉等基本用能单元焦炭进出的重量和水分、灰分等质量参数应进行监测。

**5.2.3** 质量参数可采用取样分析法或在线检测法进行检验，宜通过网络传输到能源管理系统。

**5.2.4** 固态能源的监测方法宜采用将收集的检测结果传输到能源管理系统的方式进行监测。

## 5.3 液态能源

**5.3.1** 成品油的存储量、温度、压力、质量宜进行监测。

**5.3.2** 重油的存储量、温度、压力、质量宜进行监测。

**5.3.3** 液态能源的存储量、温度、压力的监测宜采用就地或远程方式。

**5.3.4** 液态能源质量的检测结果宜传输到能源管理系统中进行集中监测。

## 5.4 气态能源

**5.4.1** 焦炉煤气监测项目应符合下列规定：

**1** 焦炉煤气出口总管应监测流量、压力、温度、热值；

2 焦炉煤气柜应监测柜位、压力、温度；

3 煤气混合装置中的焦炉煤气应监测流量、压力、温度；

4 次级用能单位的焦炉煤气应监测流量、压力、温度；

5 基本用能单元的焦炉煤气应监测流量、压力。

**5.4.2** 高炉煤气监测项目应符合下列规定：

1 净化高炉煤气出口总管应监测流量、压力、温度、热值；

2 高炉煤气柜应监测柜位、压力、温度；

3 煤气混合装置中的高炉煤气应监测流量、压力、温度；

4 次级用能单位的高炉煤气应监测流量、压力、温度；

5 基本用能单元的高炉煤气应监测流量、压力。

**5.4.3** 转炉煤气监测项目应符合下列规定：

1 净化转炉煤气应监测流量、压力、温度、热值；

2 转炉煤气柜应监测柜位、压力、温度；

3 煤气混合装置中的转炉煤气应监测流量、压力、温度；

4 次级用能单位的转炉煤气应监测流量、压力、温度；

5 基本用能单元的转炉煤气应监测流量、压力。

**5.4.4** 混合煤气监测项目应符合下列规定：

1 煤气混合装置出口总管宜监测流量、压力、温度、热值；

2 次级用能单位的混合煤气应监测流量、压力、温度；

3 基本用能单元的混合煤气应监测流量、压力。

**5.4.5** 煤气柜、放散塔、调压站、加压机、混合装置中的调节阀、切断阀设备的状态应进行监测。

**5.4.6** 蒸汽监测项目应符合下列规定：

1 蒸汽发生应监测流量、压力、温度；

2 进口蒸汽主管应监测并网流量、压力、温度；

3 次级用能单位蒸汽应监测流量、压力、温度；

4 基本用能单元蒸汽宜监测流量、压力；

5 锅炉运行状态应进行监测。

**5.4.7** 天然气监测项目应符合下列规定：

1 外购天然气主管应监测流量、压力、温度；

2 次级用能单位天然气应监测流量、压力、温度；

3 基本用能单元天然气应监测流量、压力。

5.4.8 液化气监测项目应符合下列规定：

1 外购液化气应监测重量(流量)、温度；

2 次级用能单位液化气应监测流量、压力、温度；

3 基本用能单元液化气应监测流量、压力。

5.4.9 发生炉煤气监测项目应符合下列规定：

1 发生炉煤气出口总管应监测流量、压力、温度、热值；

2 次级用能单位的发生炉煤气应监测流量、压力、温度；

3 基本用能单元的发生炉煤气应监测流量、压力。

5.4.10 压力监测器具宜采用压力变送器。

5.4.11 温度监测器具宜采用热电阻或热电偶。

5.4.12 热值监测可采用取样分析法或在线检测法。

5.4.13 气态能源的监测宜采用就地或远程方式。

## 5.5 耗能工质

5.5.1 氧气监测项目应符合下列规定：

1 氧气站氧气出口总管应监测流量、压力、温度；

2 球罐宜监测压力；

3 次级用能单位氧气应监测流量、压力、温度；

4 基本用能单元氧气应监测流量、压力。

5.5.2 氮气监测项目应符合下列规定：

1 制氧站或制氮站氮气出口总管应监测流量、压力、温度；

2 球罐宜监测压力；

3 次级用能单位氮气应监测流量、压力、温度；

4 基本用能单元氮气应监测流量、压力、温度。

5.5.3 氩气监测项目应符合下列规定：

1 制氧站氩气出口总管应监测流量、压力、温度；

**2** 球罐宜监测压力；

**3** 次级用能单位氩气应监测流量、压力、温度；

**4** 基本用能单元氩气宜监测流量、压力、温度。

**5.5.4** 氢气监测项目应符合下列规定：

**1** 制氢站出口总管应监测流量、压力、温度；

**2** 球罐宜监测压力；

**3** 次级用能单位氢气应监测流量、压力、温度；

**4** 基本用能单元氢气宜监测流量、压力、温度。

**5.5.5** 球罐、调压阀组、调节阀、切断阀设备状态应进行监测。

**5.5.6** 压缩空气监测项目应符合下列规定：

**1** 空气压缩站出口总管应监测流量、压力、温度；

**2** 次级用能单位的压缩空气应监测流量、压力、温度；

**3** 基本用能单元的压缩空气宜监测流量、压力。

**5.5.7** 原水应监测原水取水站出口总管的流量、水质和水泵状态。

**5.5.8** 工业用水监测项目应符合下列规定：

**1** 制水厂(站)出口总管应监测流量、压力；

**2** 水处理厂(站)出口总管宜监测流量、压力；

**3** 供水管网分支管道宜监测流量、压力；

**4** 次级用能单位工业用水应监测流量、压力；

**5** 基本用能单元工业用水宜监测流量；

**6** 工业水水质、水池水位、给水出口阀、水泵状态应进行监测。

**5.5.9** 生活用水监测项目应符合下列规定：

**1** 生活用水厂(站)出口总管应监测流量、压力；

**2** 次级用能单位的生活用水宜监测流量；

**3** 基本用能单元的生活用水宜监测流量；

**4** 生活用水水质、水池水位、给水出口阀、水泵状态应进行监测。

**5.5.10** 耗能工质监测设备应符合下列规定：

**1** 氧气、氮气、氩气、氢气、压缩空气的流量监测可采用差压式流量计、热式流量计、涡街流量计；

**2** 水流量的监测可采用差压式流量计、超声波流量计、电磁流量计；

**3** 压力监测宜采用压力变送器；

**4** 温度监测宜采用 PT100 热电阻。

**5.5.11** 耗能工质的监测宜采用就地或远程方式。

# 6 能源监控

## 6.1 数据采集

**6.1.1** 采集信号选取应符合下列规定：

**1** 采集信号按介质类别分应涵盖电力、固态能源、液态能源、气态能源和耗能工质；

**2** 采集信号按用途可分为计量信号和监测信号；计量信号应涵盖用能单位和次级用能单位；监测信号应涵盖用能单位、次级用能单位和主要基本用能单元的关键设备和远控设备。

**6.1.2** 数据采集应符合下列规定：

**1** 采集内容应包括能源介质及关键设备的信息、远控设备的操作信号、产量、能源指标及能源计划数据；根据厂区规模，年产量1000万吨的钢铁企业，信号数量宜控制在3万点以内；

**2** 采集范围应覆盖次级用能单位和主要基本用能单元；

**3** 数据采集可通过I/O直接采集或通过通信方式从专用仪表、基础自动化系统或其他信息化系统（ERP、MES等）获得；

**4** 数据采集应符合标准的通信规约和行业规约；

**5** 数据采集频率应满足能源集中监控和管理的要求，实时数据宜到秒，计量数据宜到分钟，产量及指标数据宜到日或月。

**6.1.3** 数据处理及归档应符合下列规定：

**1** 数据处理应包括电度量计算、流量积算、温度压力补正计算；

**2** 对同种能源介质的信号数据应采用统一的法定计量单位；

**3** 对同种介质的累计计算宜采用统一的计算周期和清零周期；

**4** 数据归档内容可包括各类采集信息、故障信息、统计信息；

5 数据归档类型可分为实时归档和统计归档。

## 6.2 集中监视及控制

6.2.1 集中监视应符合下列规定：

1 集中监视的范围应包括能源发生单元、重大产耗能设备及能源输配设备、能源管网；

2 制水厂(站)、水处理厂(站)、制氧厂(站)、发电厂、锅炉房、鼓风机站宜远程监视；

3 集中监视的方法宜包括工艺流程图显示、设备状态显示、故障报警显示、数据显示、实时曲线显示、历史曲线显示。

6.2.2 集中控制应符合下列规定：

1 集中控制的范围宜包括能源存储单元、能源输配单元、能源放散设施等；

2 煤气柜、煤气加压站、煤气混合站、煤气放散塔、空气压缩站、水泵站(供水、排水)、变电站(所)宜远程监控；

3 集中控制应采用远程控制和就地控制相结合的方式。

## 6.3 数据分析和应用

6.3.1 能源预测宜根据能源的发生单元、存储单元、输配单元、固定用户、调整用户的不同工艺特征，构建不同的预测算法模型。

6.3.2 能源预测算法模型可分为因素模型、时序模型、单位用量模型等，模型参数可随实时数据的演变通过自学习进行调整。

6.3.3 能源预测宜包括电力预测和煤气预测。电力预测宜包括日用电量、日负荷和超短期负荷预测，煤气预测宜包括煤气供需量预测和煤气平衡预测。

6.3.4 能源计划按能源介质可分为电力供需计划、固态能源供需计划、液态能源供需计划、气态能源供需计划、耗能工质供需计划。

**6.3.5** 能源计划按时间粒度可分为日供需计划、月供需计划、年供需计划。

**6.3.6** 能源计划宜按钢铁企业生产计划、历史数据及检修计划编制。

**6.3.7** 能源平衡宜遵循提高余能回收率、减少不平衡放散、提高能源转换效率的原则，采用合理调节、梯级用能、优化调度等手段。

**6.3.8** 能源平衡可采用经验平衡方法或模型平衡方法。

**6.3.9** 企业应分析生产与设备运行的历史数据，指导企业的能源管理工作。

**6.3.10** 数据分析宜包括能源供需计划分析、能源供需实绩分析、技术经济指标分析、历史同期技术经济指标对比分析、同行业企业技术经济指标对比分析、技术经济指标标杆值对比分析。

**6.3.11** 数据分析的技术经济指标宜包括综合性指标、工序区段性指标、经济性指标。综合性指标宜包括吨钢综合能耗、吨钢可比能耗、企业能源亏损量、氧气放散率、煤气放散率、吨钢耗新水、吨钢转炉煤气回收率。工序区段性指标宜包括原料工序能耗、焦化工序能耗、球团工序能耗、烧结工序能耗、炼铁工序能耗、炼钢工序能耗、轧钢工序能耗。经济性指标宜包括万元总产值能耗、万元增加值能耗。

## 6.4 能源质量

**6.4.1** 企业应对电、煤炭、焦炭、水、煤气、氧气等能源介质的质量指标进行监测管理，编制各类能源质量报表，对各类指标进行跟踪监控。

**6.4.2** 监测管理的质量项宜包括：电能的电压偏差、频率偏差、谐波、电压不平衡、电压波动、闪变，煤炭的水分、灰分、硫分，焦炭的水分、灰分，煤气的热值、纯度、含水量，氧气、氮气纯度，水的电导率、pH 值、总磷、总硬度、总碱、总氯、浊度。

## 6.5 管理中心

**6.5.1** 管理中心设置应符合下列规定：

**1** 新建钢铁联合企业应设置能源管理中心；

**2** 改造的钢铁联合企业应设置能源管理中心。

**6.5.2** 管理中心应符合下列规定：

**1** 管理中心宜作为独立机构，有明确的管理职责，有集中的能源管控场所；

**2** 管理中心应配备水、电、风、气等相关专业的调度人员；

**3** 管理中心应配置能源管理系统和配套的软硬件设施。

**6.5.3** 能源管理系统的主要功能应包括：能源实绩、能源计划、能源预测、能源平衡、能源质量、能源数据分析。

**6.5.4** 能源管理系统对计量和监测信号的使用宜符合下列规定：

**1** 电力信号的使用宜符合表 6.5.4-1 的规定；

**2** 固态能源信号的使用宜符合表 6.5.4-2 的规定；

**3** 液态能源信号的使用宜符合表 6.5.4-3 的规定；

**4** 气态能源煤气信号的使用宜符合表 6.5.4-4 的规定；

**5** 气态能源蒸汽信号的使用宜符合表 6.5.4-5 的规定；

**6** 耗能工质氧气、氮气、氩气信号的使用宜符合表 6.5.4-6 的规定；

**7** 耗能工质水信号的使用宜符合表 6.5.4-7 的规定。

**表 6.5.4-1 电力信号清单**

| 序号 | 项目 / 内容 | 实时控制 | 过程画面 | 过程曲线 | 二级报警 | 语音报警 | 信息提示 | 过程操作 | 应急监视 | 应急操作 | 实时归档 | 统计归档 | 报表输出 | 计量积算 | 报警设定 | 控制设定 |
|---|---|---|---|---|---|---|---|---|---|---|---|---|---|---|---|---|
| 1 | 开关 | | ● | | ○ | ○ | ● | ● | | | | | | | | |
| 2 | 线路闸刀 | | ● | | | | ● | ● | | | | | | | | |
| 3 | 母线闸刀 | | ● | | | | ● | ● | | | | | | | | |

**续表 6.5.4-1**

| 序号 | 项目<br>内容 | 实时控制 | 过程画面 | 过程曲线 | 二级报警 | 语音报警 | 信息提示 | 过程操作 | 应急监视 | 应急操作 | 实时归档 | 统计归档 | 报表输出 | 计量积算 | 报警设定 | 控制设定 |
|---|---|---|---|---|---|---|---|---|---|---|---|---|---|---|---|---|
| 4 | 接地闸刀 | | ● | | | | ● | | | | | | | | | |
| 5 | 中性点闸刀 | | ● | | | | ● | | | | | | | | | |
| 6 | 电流 | | ● | ○ | ○ | | ○ | | | | ○ | ○ | ○ | | ○ | |
| 7 | 电压 | | ● | ● | ● | ○ | ● | | ○ | | ○ | ○ | ○ | | ○ | |
| 8 | 有功功率 | | ● | ● | ○ | | ○ | | | | ○ | ○ | ● | | | |
| 9 | 无功功率 | | ● | ○ | | | | | | | ○ | ○ | ○ | | | |
| 10 | 功率因数 | | ● | ● | ○ | | ○ | | | | ○ | ○ | ● | | | |
| 11 | 电度量 | | | | | | | | | | ● | ● | ● | ● | | |
| 12 | 频率 | | ● | ● | ● | ○ | ● | | ○ | | ● | ○ | ○ | | ● | |
| 13 | 有载调压 | | ● | | | | ● | ● | | | | | | | | |
| 14 | 同期装置 | | ● | | ● | | ● | ● | | | | | | | | |
| 15 | 门开信号 | | | △ | | △ | | △ | | | | | | | | |
| 16 | UPS 电源故障 | | ● | | ● | | ● | | | | ● | | | | | |
| 17 | 交直流故障 | | ● | | ● | | ● | | | | ● | | | | | |
| 18 | 变压器温度报警 | | ● | | ● | | ● | | | | ● | | | | | |
| 19 | 变压器故障 | | ● | | ● | | ● | | | | ● | | | | | |

注：●表示应用系统必须具备的功能；

○表示应用系统可选的功能；

△表示应用系统远程监控应具备的功能。

后面各表中的符号意义均同上述解释。

**表 6.5.4-2 固态能源信号清单**

| 序号 | 项目<br>内容 | 实时控制 | 过程画面 | 过程曲线 | 二级报警 | 语音报警 | 信息提示 | 过程操作 | 应急监视 | 应急操作 | 实时归档 | 统计归档 | 报表输出 | 计量积算 | 报警设定 | 控制设定 |
|---|---|---|---|---|---|---|---|---|---|---|---|---|---|---|---|---|
| 1 | 煤炭购入量 | | | | | | | | | | | ● | ● | ● | | |
| 2 | 煤炭消耗量 | | | | | | | | | | | ● | ● | ● | | |
| 3 | 煤炭的灰分 | | | | | | | | | | | ● | ● | | | |
| 4 | 煤炭的水分 | | | | | | | | | | | ● | ● | | | |
| 5 | 煤炭的硫分 | | | | | | | | | | | ● | ● | | | |
| 6 | 焦炭购入量 | | | | | | | | | | | ● | ● | ● | | |
| 7 | 焦炭消耗量 | | | | | | | | | | | ● | ● | ● | | |
| 8 | 焦炭的灰分 | | | | | | | | | | | ● | ● | | | |
| 9 | 焦炭的水分 | | | | | | | | | | | ● | ● | | | |

**表 6.5.4-3 液态能源信号清单**

| 序号 | 项目<br>内容 | 实时控制 | 过程画面 | 过程曲线 | 二级报警 | 语音报警 | 信息提示 | 过程操作 | 应急监视 | 应急操作 | 实时归档 | 统计归档 | 报表输出 | 计量积算 | 报警设定 | 控制设定 |
|---|---|---|---|---|---|---|---|---|---|---|---|---|---|---|---|---|
| 1 | 流量 | | ● | ● | | | | | | | ● | ● | ● | ● | | |
| 2 | 压力 | | ● | ● | ● | ● | ● | | | | ● | | | | ● | ○ |
| 3 | 温度 | | ● | ● | ○ | | | | | | ● | | | | ○ | |
| 4 | 油罐油位 | | | ● | ○ | | | | | | ● | | | | ○ | |

## 表 6.5.4-4 气态能源煤气信号清单

| 序号 | 内容＼项目 | 实时控制 | 过程画面 | 过程曲线 | 二级报警 | 语音报警 | 信息提示 | 过程操作 | 应急监视 | 应急操作 | 实时归档 | 统计归档 | 报表输出 | 计量积算 | 报警设定 | 控制设定 |
| --- | --- | --- | --- | --- | --- | --- | --- | --- | --- | --- | --- | --- | --- | --- | --- | --- |
| 1 | 流量 | | ● | ● | ○ | | ○ | | | | ● | ● | ● | ● | ○ | ● |
| 2 | 压力 | | ● | ● | ● | ● | ● | | ○ | | ● | ○ | ● | | ○ | ● |
| 3 | 温度 | | ● | ○ | ○ | | ○ | | | | ● | | | | ○ | |
| 4 | 热值 | | ● | ● | ○ | | ○ | | | | ● | | | | ○ | ○ |
| 5 | 柜位 | | ● | ● | ● | ○ | ● | | ○ | | ● | ○ | ● | | ● | ○ |
| 6 | 柜位升降速度 | | ● | ● | ● | | ○ | | | | ● | | | | ○ | |
| 7 | 煤气柜 | ○ | ● | | ● | ○ | ● | ● | ● | ● | ● | | | | | |
| 8 | 放散塔 | ● | ● | | ● | | ● | ● | ○ | ○ | ● | | | | | |
| 9 | 调压站 | ● | ● | | ● | | ● | ● | | | ● | | | | | |
| 10 | 加压机 | ● | ● | | ● | | ● | ● | | | ● | | | | | |
| 11 | 混合装置 | ● | ● | | ● | | ● | ● | | | ● | | | | | |
| 12 | 燃气漏泄 | | ● | | ● | ○ | ● | | | | ● | | | | | |
| 13 | 调节阀 | ○ | ● | | ● | | ● | ● | | ○ | ● | | | | | |
| 14 | 切断阀 | | ● | | ○ | | ● | ● | | ○ | ● | | | | | |
| 15 | 阀门开度 | | ● | | ○ | | ○ | | ○ | | ● | | | | ○ | ○ |

## 表 6.5.4-5 气态能源蒸汽信号清单

| 序号 | 内容＼项目 | 实时控制 | 过程画面 | 过程曲线 | 二级报警 | 语音报警 | 信息提示 | 过程操作 | 应急监视 | 应急操作 | 实时归档 | 统计归档 | 报表输出 | 计量积算 | 报警设定 | 控制设定 |
| --- | --- | --- | --- | --- | --- | --- | --- | --- | --- | --- | --- | --- | --- | --- | --- | --- |
| 1 | 流量 | | ● | ● | ○ | | ○ | | | | ● | ● | ● | ● | ○ | |
| 2 | 压力 | | ● | ● | ○ | | ○ | | | | ● | | | | ○ | |
| 3 | 温度 | | ● | ○ | ○ | | ○ | | | | ● | | | | ○ | |
| 4 | 锅炉运行状态 | | ● | | ● | | ● | | | | ● | | | | | |

**表 6.5.4-6　耗能工质氧气、氮气、氩气信号清单**

| 序号 | 项目<br>内容 | 实时控制 | 过程画面 | 过程曲线 | 二级报警 | 语音报警 | 信息提示 | 过程操作 | 应急监视 | 应急操作 | 实时归档 | 统计归档 | 报表输出 | 计量积算 | 报警设定 | 控制设定 |
|---|---|---|---|---|---|---|---|---|---|---|---|---|---|---|---|---|
| 1 | 流量 | | ● | ● | ○ | | ○ | | | | ● | ● | ● | ● | ○ | |
| 2 | 压力 | | ● | ● | ● | ○ | ● | | | | ● | ○ | ● | | ● | |
| 3 | 温度 | | ● | ● | ○ | | ○ | | | | ● | ○ | ○ | | ○ | |
| 4 | 球罐 | | ● | | | | | | | | ● | | | | | |
| 5 | 调压阀组 | | ● | | | | | | | | | | | | | |
| 6 | 调节阀 | | ● | | ● | | ● | ○ | | | ● | | | | | |
| 7 | 切断阀 | | ● | | ● | | ● | ○ | | | ● | | | | | |
| 8 | 阀门开度 | | ● | ● | ○ | | ○ | | | | ● | | ○ | | | |
| 9 | 纯度 | | ● | ● | ○ | | ○ | | | | ○ | | | | | |

**表 6.5.4-7　耗能工质水信号清单**

| 序号 | 项目<br>内容 | 实时控制 | 过程画面 | 过程曲线 | 二级报警 | 语音报警 | 信息提示 | 过程操作 | 应急监视 | 应急操作 | 实时归档 | 统计归档 | 报表输出 | 计量积算 | 报警设定 | 控制设定 |
|---|---|---|---|---|---|---|---|---|---|---|---|---|---|---|---|---|
| 1 | 流量 | | ● | ● | ○ | | ○ | | | | ● | ● | ● | ● | ○ | |
| 2 | 压力 | | ● | ● | ● | ○ | ● | | ○ | | ● | ○ | ○ | | ● | ○ |
| 3 | pH 值 | | ● | ● | | | ○ | | | | ● | ○ | | | | |
| 4 | 电导率 | | ● | ● | | | ○ | | | | ● | | | | | |
| 5 | 水位 | | ● | ● | ● | ○ | ● | | | | ● | ○ | ○ | | ○ | |
| 6 | 开度 | | ● | ○ | ○ | | ○ | | | | ● | | | | | |
| 7 | 给水出口阀 | | ● | | ● | | ● | ○ | | | | | | | | |
| 8 | 泵 | ○ | ● | | ● | | ● | ● | | | | | | | | |
| 9 | 水质指标 | | | | ○ | | | | | | | | | | | |

# 本规范用词说明

**1** 为便于在执行本规范条文时区别对待，对要求严格程度不同的用词说明如下：

**1)** 表示很严格，非这样做不可的：

正面词采用“必须”，反面词采用“严禁”；

**2)** 表示严格，在正常情况下均应这样做的：

正面词采用“应”，反面词采用“不应”或“不得”；

**3)** 表示允许稍有选择，在条件许可时首先应这样做的：

正面词采用“宜”，反面词采用“不宜”；

**4)** 表示有选择，在一定条件下可以这样做的，采用“可”。

**2** 条文中指明应按其他有关标准执行的写法为：“应符合……的规定”或“应按……执行”。

# 引用标准名录

《用能单位能源计量器具配备和管理通则》GB 17167

《钢铁企业能源计量器具配备和管理要求》GB/T 21368

《流量积算仪检定规程》JJG 1003

中华人民共和国国家标准

# 钢铁企业能源计量和监测工程技术规范

GB/T 51050－2014

## 条文说明

# 制 订 说 明

本规范是我国第一部钢铁企业能源计量和监测工程技术规范,该规范的出台,对于钢铁企业节能减排,实现能源的集中管理具有重要意义。本规范的出台,规范了钢铁企业能源计量和监测的设计、安装,使设计人员有章可循,大大提高了能源计量和监测设计的效率、质量和水平,适应了国家对能源环保的要求,同时必将产生巨大的社会经济效益。

鉴于本规范是初次编制,内容是否齐全,条文是否具有可操作性、先进性、约束性等,都需要在执行中证实和完善。因此今后应及时跟踪了解规范使用情况,搜集第一手资料,为规范的完善、修订做好准备。

为了便于广大设计、施工、科研、学校等单位有关人员在使用本规范时能正确理解和执行条文规定,编制组编写了本规范的条文说明。但是,本条文说明不具备与规范正文同等的法律效力,仅供使用者作为理解和把握规范规定的参考。

# 目　　次

# 1 总　　则

**1.0.1** 钢铁联合企业需要的能源品种多、数量大，产生的二次能源量大，为节约能源、保护环境、降低生产成本、提高竞争能力，在加强余热、余能和副产煤气等资源的回收和利用的基础上，废弃粗放的能源管理模式，以信息技术为手段实现精细化的能源管理，强化能源生产、管控合一的管理体系，对能源介质实现集中监控，并做到科学管理与调配。

**1.0.3** 为适应钢铁企业的发展，能源计量和监测系统的设计应遵循标准化、模块化的设计方法，使能源计量和监测系统近期建设与远期发展规划协调一致。

# 2 术　　语

**2.0.1～2.0.3**　为了使规范理解得更加清楚，引用了《钢铁企业能源计量器具配备和管理要求》GB/T 21368 中的术语。

**2.0.4**　能源发生单元指产生能源的设施，如自备电厂、焦化厂、蒸汽锅炉等。

**2.0.5**　能源存储单元指存储能源的设施，如煤气罐、焦煤存放场等。

**2.0.6**　能源输配单元指对能源进行转换、输送的设施，如输配电设备、各类泵等。

# 3 基本规定

**3.0.1** 作为能源消耗大户，钢铁企业为了节能减排、提高企业能源管理水平、实现能源的集中管理，在新建项目和改建项目时，均应设置能源计量和能源监测设施。

**3.0.2** 钢铁企业对能源的计量、统计是企业实现成本分析、绩效分析、考核的依据之一，为了节能降耗，各钢铁企业都应对用能单位、次级用能单位、基本用能单元进行考核。

**3.0.3** 为保持标准之间的一致性，参照《钢铁企业能源计量器具配备和管理要求》GB/T 21368 中能源种类的划分方式，对钢铁企业能源种类按照电力、固态能源、液态能源、气态能源、耗能工质进行划分，此划分标准能满足钢铁企业对能源计量和监测的要求，因此本规范继续沿用。

电力类别包括外购电、自备电、余能电和电力消耗；固态能源类别包括煤炭和焦炭；钢铁企业在用的液态能源类别包括成品油和重油；气态能源类别包括焦炉煤气、高炉煤气、转炉煤气、混合煤气、蒸汽、发生炉煤气、天然气、液化气；耗能工质包括氧气、氮气、氩气、氢气、压缩空气、原水(新水)、工业用水(净化水、软水、脱盐水、循环水等)、生活用水。

固态能源类别中的煤炭包含煤粉，焦炭包含焦粉。对于除尘工艺装置产生的除尘灰，归属于固体燃料，如焦化的干熄焦以及焦系统的除尘产生的除尘灰归属于固体燃料中的焦粉。煤系统的除尘产生的除尘灰归属于固体燃料中的煤粉。

耗能工质是指需要消耗能源所产生的工业介质，上文中所列的是目前钢铁企业中常用的耗能工业介质，但不限于此。

**3.0.4** 本条根据钢铁企业能源介质的种类以及使用方式的不同，

将计量和监测范围按照企业对能源产生、消耗、输配的不同进行了划分。

**3.0.5** 为了实现能源管理的信息化和能源的集中管理,能源计量和监测设备应具有能源数据传输功能。

能源计量和监测数据作为钢铁企业能源绩效考核、成本核算的基础,在设备的配备上必须保证计量和监测数据的实时、准确、可靠,为各用能单位之间进行能源核算提供准确依据。

数据的实时性应保证数据变化后能及时上传至能源管理系统。数据的准确性应保证系统采集的数字信号的有效位数与现场计量设备的有效位数和读数一致。

**3.0.6** 为了准确地计量和监测气态能源、耗能工质的次级用能单位和基本用能单元的各项参数,宜设置独立的介质管道。

**3.0.7** 计量器具的配备除应符合现行国家标准《用能单位能源计量器具配备和管理通则》GB 17167 和《钢铁企业能源计量器具配备和管理要求》GB/T 21368 之外,企业宜执行满足自身条件的更高要求。

**3.0.8** 为了方便能源管理部门对能源进行统计、分析、平衡、调度,提高能源的信息化管理水平,宜将计量和监测数据集中管理。

为了对能源数据进行分析,对关键绩效指标进行考核,检查企业节能降耗的效果,企业对计量和监测数据应保存 3 年以上。

# 4 能源计量

## 4.1 电 力

**4.1.1** 钢铁企业的电力能源一般由外购电、自备电和余能电构成。

外购电是钢铁企业大宗购入的主要外部能源。

自备电是钢铁企业的自备电厂产生的电力能源，这种电力作为企业的保安电源又作为工作电源的一部分。

余能电是钢铁企业在生产过程中产生的余压和废热，用于发电所产生的电力能源。这种余能电站(厂)类似于企业的自备电厂，亦可作为工作电源的一部分。

**4.1.2** 自备电厂、余热电站(厂)作为次级用能单位，计量及检测其内部消耗的电量及重点用能设备产生、消耗的电量，主要用于企业内部的成本核算或考核。

**4.1.3** 本条为电力计量项目的一般性规定，现就以下几点加以说明：

**1** 外购电计量检测点位置设在用能方一侧。计量表可设置在电源进线柜内，或在电源进线回路设置独立的计量柜。

**2、3** 自备电厂、余能电站(厂)作为能源发生单位，应在各并网联络线出口侧进行计量。

**4、5** 钢铁企业内部的总降压站、变电站(所)应在各用户电力线路馈出回路处进行计量。

**6** 自备电厂和余热电站(厂)作为次级用能单位，计量其内部消耗的电量及重点用能设备产生、消耗的电量，主要用于企业内部的成本核算或考核。

**4.1.5** “标准通信接口”系指在用户与网络之间、网络与网络之间实现通信连接的技术与设备。目前电能表一般常用 RS232、RS485、RS422 等标准接口。

选配的电能表宜具有标准通信接口，条文中的“宜”系指在一些没有能源管理需求的钢铁企业改造项目里，可选用没有通信接口的电能表，所以这里不作硬性规定。

## 4.2 固态能源

**4.2.1** 煤炭的水分、灰分、硫分等品质参数，可采用实验室配备的分析仪器计量，必要时煤炭水分参数可设置在线分析计量。

**4.2.2** 焦炭的水分、灰分等品质参数，可采用实验室配备的分析仪器计量，必要时焦炭水分参数可设置在线分析计量。

**4.2.4** 煤的质量参数应按照现行国家标准《煤的工业分析方法》GB/T 212、《煤的发热量测定方法》GB/T 213 和《中国煤层煤分类》GB/T 17607 进行检测。

## 4.3 液态能源

**4.3.1～4.3.3** 目前钢铁企业已很少使用液态能源，本规范对液态能源不作过多的规定。

## 4.4 气态能源

**4.4.10** 根据国家规定，流量计算设备出厂时必须具有计量许可证和以检定规程为依据的合格证书，否则为不合格产品。

对于用能单位的流量计算设备，因涉及不同单位的结算，在使用过程中，还需要由质监部门定期进行检定，并出具鉴定证书。

对于次级用能单位或基本用能单元的流量计算设备，需要企业定期进行校准，并出具校准证书。

## 4.5 耗能工质

**4.5.6** 本条文中仅考虑原水的能源属性，原水的能源属性是指取原水所消耗的能源，原水的资源属性应参照相关的标准执行。

**4.5.7、4.5.8** 循环水处理站的补水应进行计量。当循环水处理站作为独立核算单位时视为制水厂，其出口应进行计量。

废水可视为耗能工质，本规范适用于钢铁企业中的废水处理站（厂）。废水的排放应遵照国家的环保标准执行。

# 5 能源监测

## 5.1 电 力

**5.1.1** 本条为电力监测项目的一般性规定,现就以下几点加以说明:

**1** 外购电计量监测点位置设在用能方一侧,可设置在电源进线柜内,或在电源进线回路设置独立的计量柜。

**2、3** 自备电厂、余能电站(厂)作为能源发生单位,应在各并网联络线出口侧进行监测。

**4、5** 钢铁企业内部的总降压站、变电站(所)应在各用户电力线路馈出回路处进行监测。

**6** 监测自备电厂、余能电站(厂)内部消耗的电量及重点用能设备产生、消耗的电量,主要用于企业内部的能源管理。

**5.1.2** 综合自动化保护系统具有可靠性高、抗干扰能力强、实时性好及维护简单等特点,目前在电力系统及电站中广泛应用。但在一些已建成的钢铁企业中还存在其他仪表测控装置,因此不硬性规定采用综合自动化保护系统。

**5.1.3** 电力的就地监测在综合自动化保护系统或其他测控装置中进行监测。远程监测由综合自动化保护系统或其他测控装置,将数据上传至能源管理系统,通过能源管理系统进行监测。

## 5.2 固态能源

**5.2.3** 在线检测的质量参数一般作为监测的数据。

## 5.3 液态能源

**5.3.3** 液态能源的就地监测采用目测现场仪表的方式,或通过现场 PLC 或 DCS 系统进行监测。远程监测由现场仪表将数据上传至能源管理系统，通过能源管理系统进行监测。

## 5.4 气态能源

**5.4.13** 气态能源的就地监测采用目测现场仪表的方式，或通过现场 PLC 或 DCS 系统进行监测。远程监测由现场仪表将数据上传至能源管理系统，通过能源管理系统进行监测。

## 5.5 耗能工质

**5.5.8、5.5.9** 循环水处理站的补水应进行监测。当循环水处理站作为独立核算单位时视为制水厂，其出口应进行监测。

废水可视为耗能工质，本规范适用于钢铁企业中的废水处理站（厂）。废水的排放应遵照国家的环保标准执行。

**5.5.11** 耗能工质的就地监测采用目测现场仪表的方式，或通过现场 PLC 或 DCS 系统进行监测。远程监测由现场仪表将数据上传至能源管理系统，通过能源管理系统进行监测。

# 6 能源监控

## 6.1 数据采集

**6.1.1** 数据采集应覆盖能源调度和管理需求，支持集中管控功能的完整实现。

**6.1.2** 实现远程监控或无人值守的现场站所向能源管理中心传送的信息必须可靠稳定，应按照现场装置的实际情况，确保信息的完整性。

要充分考虑远程监控站点和设备的特点，确保将那些涉及设备和系统安全的监测点传输到系统中来，对于现场尚不具备传输这些信息条件的站所，要通过技术改造满足采集要求。

**6.1.3** 数据归档粒度可根据企业管理要求进行规定，一般要求分钟值至少 30 天，小时值至少 90 天，天值至少 180 天，月值至少 3 年。

## 6.2 集中监视及控制

**6.2.1、6.2.2** 可根据能源管理的要求和现场自动化系统的情况对公共能源设施（或区域能源设施）进行集中管理，建立以远程监控为目标的集中管控模式，以提升系统的及时调控能力及处理异常的能力，从而有效发挥通过优化调整的节能潜力。

能源存储单元、能源输配单元、放散设施宜进行远程监控。能源发生单元宜进行远程监视。

## 6.3 数据分析和应用

**6.3.1～6.3.3** 电力负荷预测模型可以按照钢铁企业特殊的电网结构和负荷特点，预测出钢铁企业用电负荷曲线。

煤气预测模型可以按照一定时间段内煤气发生单元的发生量和固定用户的使用量预测出煤气的供需量或煤气系统的主要平衡点(煤气柜位或者煤气管网平衡压力点),为煤气调度提供参考依据,通过科学的调度,减少放散造成的资源浪费和环境污染,防止生产过程中能源短缺引起的停产现象。

**6.3.4、6.3.5** 可按照公司生产计划及历史数据及检修计划编制能源供需计划,以指导能源系统按计划组织生产,向钢铁行业基本用能单元提供所需要的能源。

**6.3.7、6.3.8** 从保证系统管网安全稳定运行的目的出发,当能源介质生产或用户使用量发生大的波动时,系统在保障重点用户用量的前提下,可以最小放散为优化目标,进行调节量计算,给出相关用户的能源平衡调整量。用户也可在此基础上,根据经验对调整量进行人工设定,并可以查看调整方案运行后的预期运行情况。

当能源平衡趋势偏离计划值(或设定值)过大从而可能导致系统严重不平衡时,对不平衡量可通过以下方式进行调整:调整存储设备的存储量、调整可调用户的使用量、调整各用户的调整使用量,将系统调整到计划值(设定值)附近。

经验平衡方法是以一定时间内能源变化最小、避免放散和设备维护成本最低为目标,依据调度操作规程、调度预案进行能源平衡调整的方法。

模型平衡方法是以能源运转成本及放散最小为目标,依据平衡优化模型计算,进行能源平衡调整的方法。

**6.3.9~6.3.11** 企业可利用数据分析技术,对历史能源数据进行分析,并根据公司生产与设备运行安排,进行能源供需、能耗实绩与计划的比较分析、能源技术经济指标分析等,用以指导公司的能源管理工作,提高公司能源管理水平和能源管理效率。

## 6.4 能源质量

**6.4.1** 应根据对能源介质的检验结果或在线检测仪数据,对水、煤气等能源介质的质量指标进行监测管理，避免不合格的能源介质供应，确保企业整个能源系统的优质稳定供应。

**6.4.2** 能源质量管理包括监测内容管理、监测数据管理、质量报表管理等。对于每种能源介质，需制定监测点、相应的监测项目和监测频次。

## 6.5 管理中心

**6.5.1** 新建和改造的钢铁联合企业，包括炼铁、炼钢、轧钢等生产环节，产生大量二次能源。如何有效利用这些二次能源，尽量做到二次能源的零放散需要复杂的动态平衡技术，依靠人工经验操作很难达到目标，必须依靠能源管理中心，通过建立能源的统一调配模型，实施集中化的管理操作，才能达到系统节能的目的。因此，对于新建和改造的钢铁联合企业设置能源管理中心将会更好地发挥系统节能作用。

**6.5.2** 能源管理中心对全公司的能源实施集中管理，对水、电、风、气等能源进行统一调配，职责非常重要，必须拥有相应的管理权限才能发挥作用，通常情况下宜作为公司级的管理机构设立。

**6.5.3** 钢铁企业的能源管理涉及面广，集中管理复杂程度高，需要处理的信息量大，依靠人工手段难以有效完成任务。有必要通过能源管理系统采集并处理大量能源数据，综合分析后辅助调度人员进行调度决策，提高管理效率。

**6.5.4** 信号清单中的二级报警指根据故障的严重程度，将报警分为轻故障报警和重故障报警两个级别。

信号清单中的应急监视指在能源管理系统故障时，提供独立于能源管理系统的应急通道进行监视。

信号清单中的应急操作指在能源管理系统故障时，提供独立于能源管理系统的应急通道进行操作。